Jasmin
Rodriguez
Esме

HBJ ESTRELLAS DE LA LITERATURA

CANTOS Y RISAS

AUTORES

MARGARET A. GALLEGO
ROLANDO R. HINOJOSA-SMITH
CLARITA KOHEN
HILDA MEDRANO
JUAN S. SOLIS
ELEANOR W. THONIS

HBJ HARCOURT BRACE JOVANOVICH, INC.
Orlando Austin San Diego Chicago Dallas New York

Acknowledgments

For permission to reprint copyrighted material, grateful acknowledgment is made to the following sources:
CELTA Amaquemecan: Me gustan los libros de cuentos by Liliana Santirso and Martha Avilés. Originally published by CELTA Amaquemecan, Amecameca, México, © 1991.
Ediciones SM: No llores, Miguel by Pablo Núñez. Copyright © 1991 by Ricardo Alcántara/Pablo Núñez. Published by Ediciones SM, Madrid, Spain.
Grupo Anaya: Cristina y la sardina by Hélène Ray. Original title, *Christine et la sardine*. Translated by Joëlle Eyheramonno. Text copyright © 1987 by Hélène Ray. Illustrations copyright © 1987 by Eve Tharlet. Published by Grupo Anaya, Madrid, Spain.
Laredo Publishing Co., Inc.: "Un libro me dijo" by Clarita Kohen from *Voces de mi tierra*. Copyright © 1993 by Laredo Publishing Co., Inc. Published by Laredo Publishing Co., Inc., Torrance, California.
Librería Hachette, S.A.: "La muñeca rota" by Juan Bautista Grosso from *Reír cantando* by Juan Bautista Grosso. Copyright © 1984 by Librería Hachette, S.A. Published by Librería Hachette, S.A., Buenos Aires, Argentina.
Rei Andes LTDA: "Quiero ser una casa" by Apuleyo Soto from *Concierto del Lenguaje II*. Copyright © 1987 by Rei Andes LTDA. Published by Rei Andes LTDA, Bogotá, Colombia.
Editorial Sudamericana S.A.: "La reina batata" by María Elena Walsh from *El reino del revés*. Copyright © 1985 by Editorial Sudamericana S.A. Published by Editorial Sudamericana S.A., Buenos Aires, Argentina.
CONAFE: "Libertad" by A.L. Jáuregui from *Cuántos cuentos cuentan...*, by Esther Jacob. Copyright © 1984 by CONAFE. Published by CONAFE, México, D.F., México.
Every effort has been made to locate the copyright holders for the selections in this work. The publisher would be pleased to receive information that would allow the correction of any omissions in future printings.

Photo Credits:
Key: (t) = top, (b) = bottom, (c) = center, (bg) = background, (l) = left, (r) = right

10–11, Michael Portzen/Laredo Publishing; 56–57, HBJ/Julie Fletcher; 62–63, Michael Portzen/Laredo Publishing; 93, Mike Severns/Tom Stack & Associates; 94–95, Carl Roessler/Bruce Coleman, Inc.; 96 (t), Larry Lipsky/Bruce Coleman, Inc.; 96 (b), Cameron Davidson/Bruce Coleman, Inc.

Illustration Credits

Armando Martínez, 4, 5; Howard Maat, 6, 7, 8, 9; Ricardo Gamboa, 34, 35, 58, 59, 60, 61; Gina Menicucci, 36, 37; Wendy Chang, 38, 39; Paul Ely, 54, 55; Lynn Forbes, 92.

Printed in the United States of America.

ISBN 0-15-304435-7

6 7 8 9 10   048   96

Querido amigo:

   ¿Ya has decidido cuáles son tus libros favoritos? ¿Sabes qué o quién te gustaría ser? ¿Hay cosas que no te gusta hacer? Tal vez este libro te ayude a contestar estas preguntas.

Te enterarás, por ejemplo, de las lecturas favoritas de un niño. Conocerás también a otro niño que es muy llorón. Y por último, leerás la historia de una niña que también llora mucho, ¡pero con unos resultados muy diferentes! Hay mucho en la lectura que te va a interesar. Así que, ¡a leer!

Con cariño,
Los autores

¡CANTOS Y RISAS!

Í N D I C E

ASÍ ME GUSTA A MÍ / 6

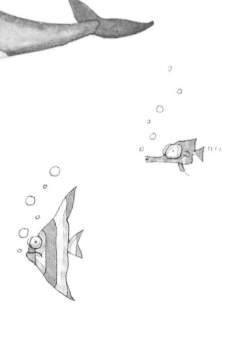

6

TEMA

ASÍ ME GUSTA A MÍ

¿Cuáles son tus historias favoritas? ¿En cuál de ellas te gustaría estar? En estas páginas conocerás las historias que le gustan a un niño. ¿Serán las mismas que te gustan a ti?

ÍNDICE

Un libro me dijo...

Dame la mano, mi amigo.
Cuídame mucho, te pido
y volarás conmigo...
y reirás conmigo...
y soñarás conmigo...

Te contaré muchas cosas,
cosas maravillosas.
Cosas para crecer...
cosas para pensar...
cosas para llegar.

Clarita Kohen

Me gustan los libros de cuentos
porque conocen secretos de gente,
animales y seres que no existen.

Cada libro tiene una puerta
que se abre a un mundo diferente.

Así puedo viajar por el espacio.

Y también por el tiempo.

Ser otro niño, en otra casa,
en otra escuela diferente.

O convertirme en un héroe fantástico.

Luchar con los piratas.

Escaparme por un pelito
de ser devorado por las fieras.

Y regresar justo a tiempo
para tomar mi leche con galletas.

29

Por eso, cuando voy a leer un cuento,
me ajusto bien el cinturón.

Y sostengo muy, muy fuerte mi libro.

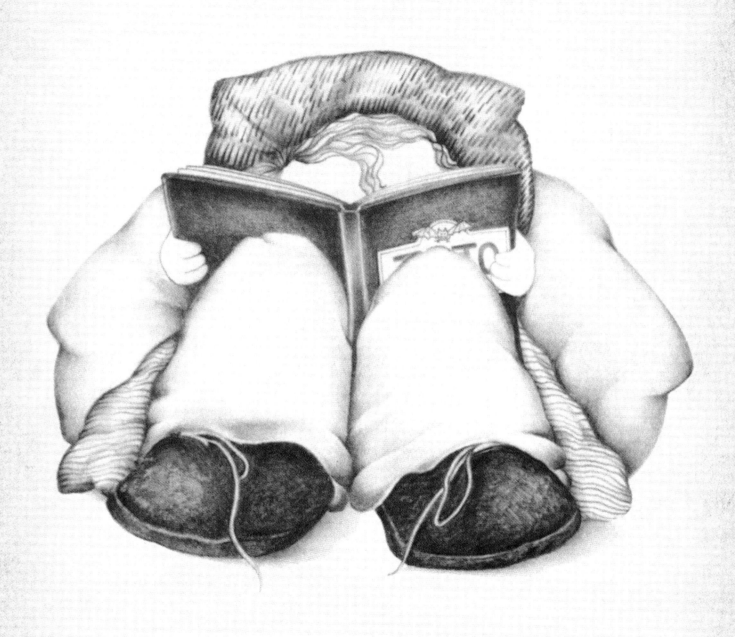

Un libro cuenta:

Ahora te voy a contar quiénes me hicieron.

El autor

Es la persona que escribió mi historia.
Me pensó y repensó.
Me escribió una y otra vez
hasta que quedó contento conmigo.

El diseñador

Me diseñó una cubierta bonita y
dijo al ilustrador lo que quería
que dibujara.

El ilustrador

Es la persona que dibujó mi historia.

El impresor

Llenó mis páginas de tintas de
todos los colores tal como me
escribió el autor y me dibujó el
ilustrador.

Y aquí me tienes, listo para que me leas y te diviertas conmigo.

Éstas son mis partes:

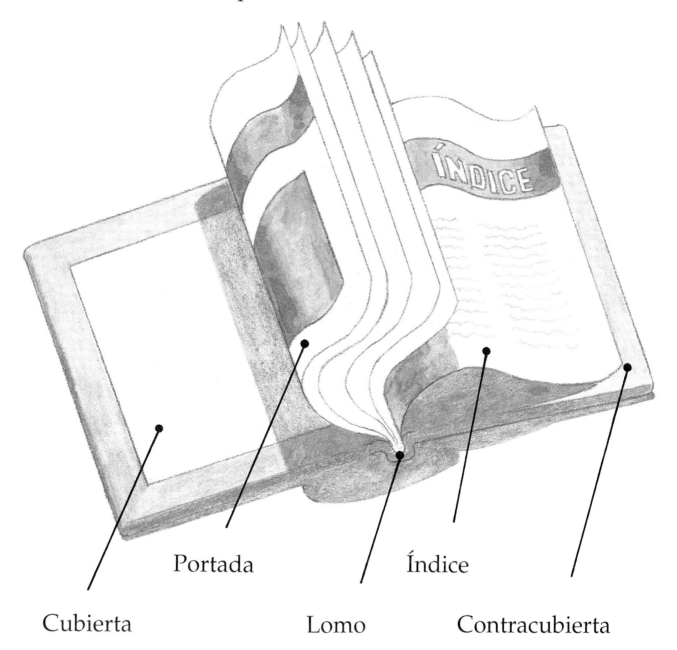

Cubierta

Portada

Lomo

Índice

Contracubierta

Busca en este libro todas mis partes.

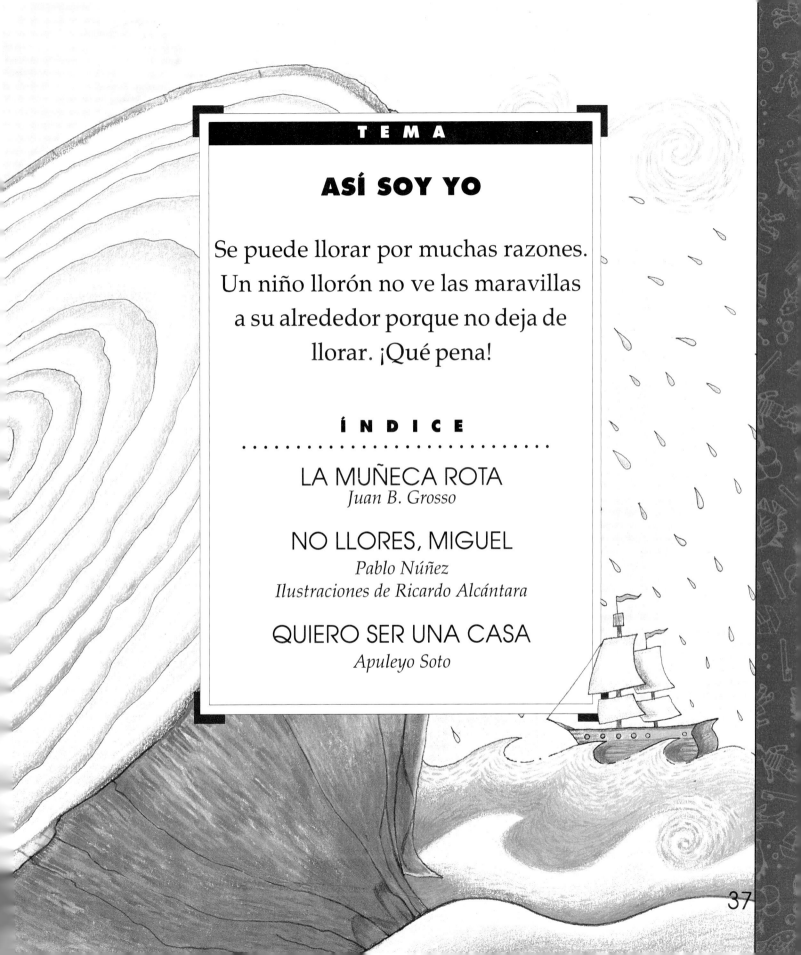

TEMA

ASÍ SOY YO

Se puede llorar por muchas razones.
Un niño llorón no ve las maravillas
a su alrededor porque no deja de
llorar. ¡Qué pena!

ÍNDICE

LA MUÑECA ROTA

La niña está triste,
la niña se queja
porque se le ha roto
su linda muñeca.
La muñeca dulce,
la muñeca buena
que le regalara
su querida abuela.

La que ella mecía
en cuna de seda
mientras le cantaba
canciones de escuela.

Juan B. Grosso

LOS DUROS DEL BARCO DE VAPOR

Pablo Núñez / Ricardo Alcántara

No llores, Miguel

41

Sentado en la playa, Miguel lloraba y decía:
—¡Quiero un caballito de mar!

Un pez espada le oyó y sintió muchísima pena.
Pero no supo qué hacer.
No sabía dónde encontrar un caballito.

El pez espada nadó apresurado
y fue a hablar con el pulpo.
Y el pulpo le dijo:
—Hablaré con la ballena.

Y la ballena le dijo:
—Hablaré con el delfín.

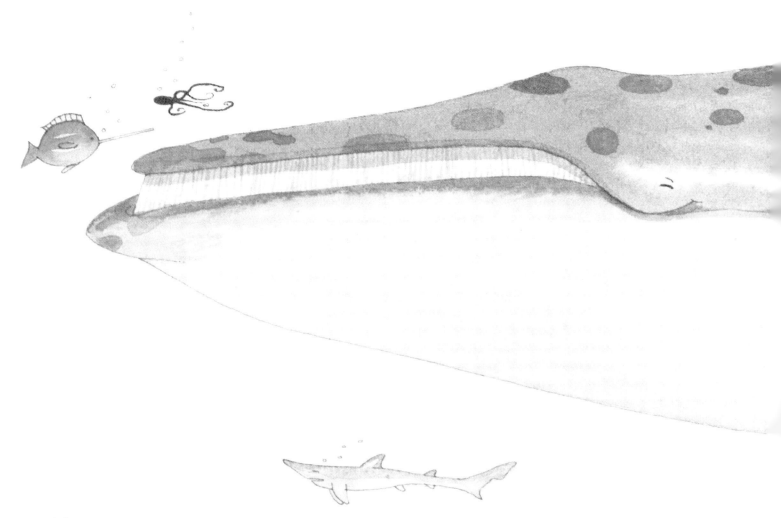

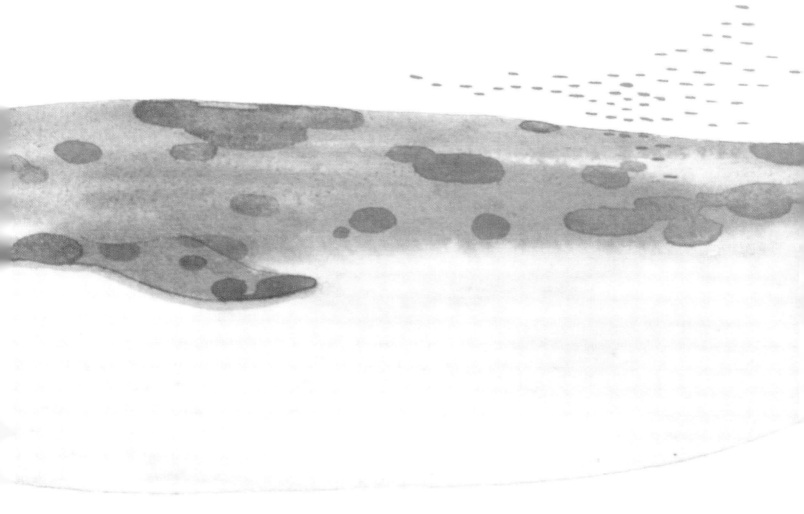

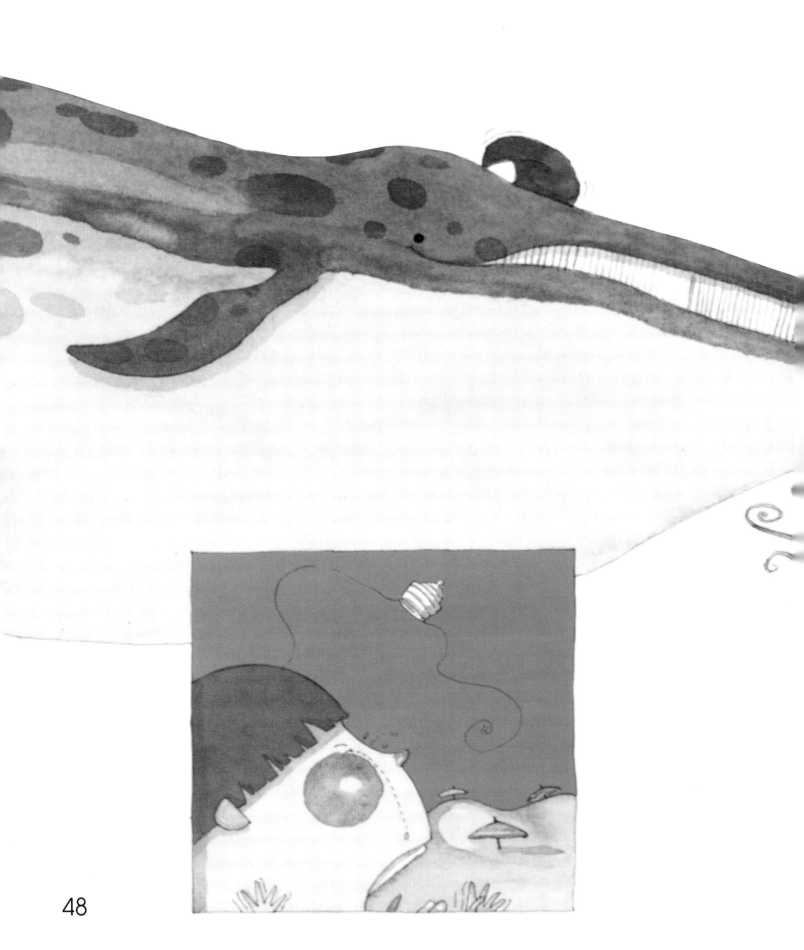

El delfín sí sabía dónde había
un caballito de mar.

Y a toda prisa, fueron a buscarlo.

El caballito de mar quiso ser amigo de Miguel.
Nadó hasta la playa y, sin hacer ruido,
se acercó al niño.

Pero Miguel no lo vio
porque lloraba y lloraba.

50

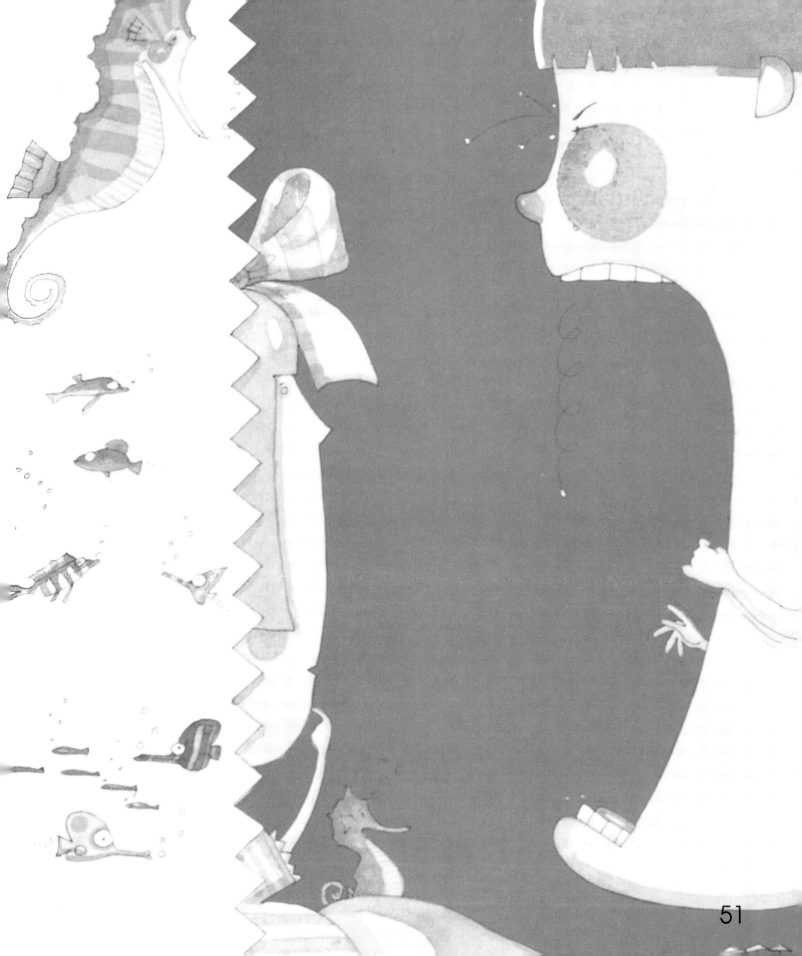

El caballito de mar se cansó de esperar
y regresó al agua.

Mientras, Miguel repetía:
—¡Quiero un caballito de mar!

Quiero ser una casa

Quiero ser una casa,
llenita de ventanas,
para mirar el campo
tarde y mañana.

Quiero ser un torrente
para beberme el agua,
y quiero ser la ola
de la mar salada.

Quiero ser el que soy.
No me queda ya nada
para jugar a pájaro,
niebla, copa o ventana.

Apuleyo Soto

55

La Reina

María Elena Walsh

Estaba la Reina Batata
sentada en un plato de plata.
El cocinero la miró.
y la Reina se abatató.

Batata

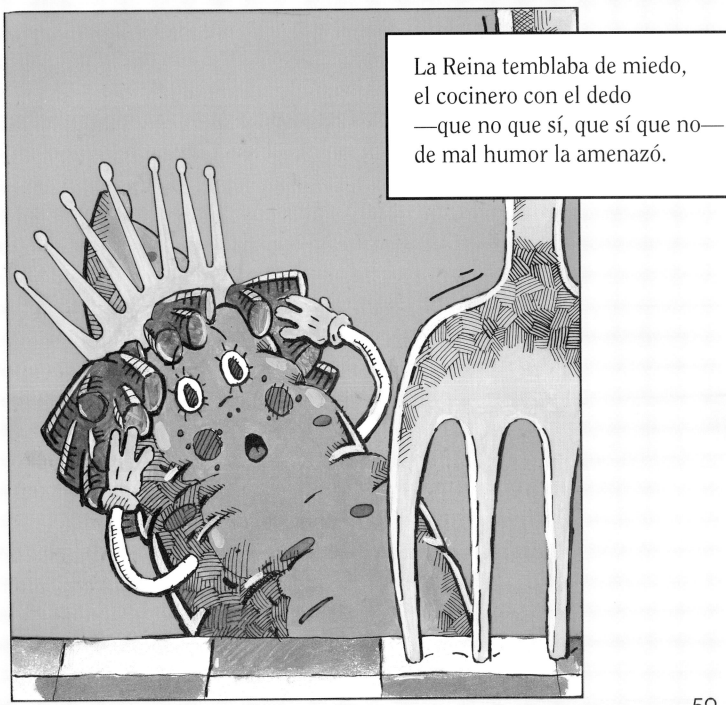

La Reina temblaba de miedo,
el cocinero con el dedo
—que no que sí, que sí que no—
de mal humor la amenazó.

La Reina vio por el rabillo
que estaba afilando el cuchillo.
Y tanto, tanto se asustó
que rodó al suelo y se escondió.

Entonces llegó de la plaza
la nena menor de la casa.
Cuando buscaba su yo-yó
en un rincón la descubrió.

La nena en un trono de lata
la puso a la Reina Batata.
Colita verde le brotó
(a la Reina Batata, a la nena no).

Y esta canción se terminó.

—¡Qué olor! —exclama Cristina
al entrar en la cocina—.
¿Qué será?
¡Esto me da mala espina!
Ya verás como mamá
ha vuelto a comprar sardinas.

Y es que a Cristina no le gustan las sardinas.
¡Qué se le va a hacer! Las cosas son así.

"¡Vaya chasco!"
piensa Cristina. "¡Qué asco!
Es mejor
comer en el comedor.
Porque, si ponen sardinas...,
¡de primera!
Yo se las paso a Delfina,
mi vecina,
que come como una fiera
y le encantan las sardinas".

A Cristina no le gustan las sardinas.
¡Qué se le va a hacer! Las cosas son así.

—Tengo anginas
—dice a su mamá Cristina—.
Me pica como una espina
al tragar.
Lo siento mucho, mamá,
no puedo comer sardinas.

A Cristina no le gustan las sardinas.
¡Qué se le va a hacer! Las cosas son así.

—Si te duelen las anginas
—dice la mamá a Cristina—,
no es muy grave:
te daré una medicina.
—¿Un jarabe?
—No, sardinas.
¡Tienen muchas vitaminas!

Pero a Cristina no le gustan las sardinas.
¡Qué se le va a hacer! Las cosas son así.

Y entonces la mamá pone
una bonita sardina
en el plato de Cristina.
—Vamos, come.

Lo que pasa es que Cristina
no quiere comer sardinas.

A Cristina no le gustan las sardinas.
¡Qué se le va a hacer! Las cosas son así.

—No me pongas esa cara
tan rara
—dice a Cristina su padre—.
Si supieras qué es el hambre,
otro gallo nos cantara.
Cristina,
venga, come la sardina.

A Cristina no le gustan las sardinas.
¡Qué se le va a hacer! Las cosas son así.

El hermano de Cristina
sin parar
hace a Cristina rabiar.
Y empieza a tomarle el pelo,
haciendo mucho el canelo:
—Anda, come la sardina,
venga, come;
ya verás qué piel tan fina
se te pone.

A Cristina no le gustan las sardinas.
¡Qué se le va a hacer! Las cosas son así.

Cristina se echa a llorar.
Y las lágrimas, al rato,
empiezan a resbalar
hasta el plato.
Y en el plato de Cristina
van cayendo,
van cayendo
encima de la sardina.

A Cristina no le gustan las sardinas.
¡Qué se le va a hacer! Las cosas son así.

De pronto una vocecita
muy bajita
le susurra:
—No te pares,
llora, llora, llora a mares.
—¿Quién habla? —dice Cristina—.
¿Quién tiene la voz tan fina?

—Soy yo —dice la sardina
a Cristina—.
Tus lágrimas son saladas,
tan saladas
como el agua de la mar.
¡No te pares de llorar!
Mientras tú sigues llorando,
estoy yo resucitando
y pronto podré nadar
en el mar.
¡No te pares de llorar!

Y ahora
Cristina, llora que llora,
ya no para de llorar.
Cristina sigue llorando
y el plato se está llenando
de sus lágrimas saladas,
tan saladas
como el agua de la mar.

La sardina al poco rato
colea alegre en el plato.
Cristina sigue llorando
y la sardina,
ya vivita y coleando,
le guiña un ojo a Cristina.
¡Qué pillina!

Y la sardina pillina
pega un salto,
y dice desde lo alto
a Cristina:
—Adiós y gracias, monina.
Me voy otra vez al mar
a jugar.

Luego, ¡hala!,
como una bala,
salta del plato a la sala;
acierta
a pasar bajo la puerta
y sin parar
se dirige hacia la mar.
Y ya no queda sardina
en el plato de Cristina.

A Cristina ya le gusta la sardina.
¡Qué le vamos a hacer! También eso es normal.

Libertad

Pececito de lindos colores
que embelleces las aguas del mar,
corre alegre que nadie te coja
que es muy lindo tener libertad.

A.L. Jáuregui

¿Qué sabes de los peces?

Los peces son animales que viven en el agua. Sus cuerpos están cubiertos de unas placas llamadas escamas. Las escamas protegen el cuerpo del pez. Al crecer los peces, sus escamas también crecen y marcan líneas en sus cuerpos. ¿Cómo puedes saber cuántos años tienen los peces? Lo puedes saber. . . ¡contando las líneas de sus escamas!

Los peces están cubiertos de escamas.

Los peces respiran por las agallas.

Los peces nadan con las aletas.

Todos los peces tienen aletas. Las aletas son como abanicos, y con ellas los peces se mueven de un lado a otro debajo del mar. Seguramente has visto peces de colores en peceras o acuarios moviendo sus aletas como abanicos. ¿Cuántas aletas tienen estos peces?

Todos los animales necesitan oxígeno para respirar. Los animales que viven en la tierra toman el oxígeno del aire. Los peces toman el oxígeno del aire disuelto en el agua. ¿Cómo lo hacen? Por las agallas. Las agallas son como unos cortes muy finos que tienen a ambos lados de la cabeza. Todos los peces usan sus agallas para respirar.

¿Cuál es la diferencia entre un pez y un pescado? Es muy fácil. Después de que los peces se pescan, los llamamos pescados. ¿Te gusta comer pescado?

Comer pescado es bueno para la salud.